EAUX TROUBLES

PAR CATHLEEN ROULEAU

ILLUSTRATIONS : TRISTAN DEMERS

Gouvernement du Québec – Programme de crédit d'impôt
pour l'édition de livres – Gestion Sodec

info@lesmalins.ca

Éditeur : Marc-André Audet
Texte : Cathleen Rouleau
Correcteur : Pierre-Yves Villeneuve, Chantale Genet
Conception graphique et montage : Shirley de Susini
Illustrateur : Tristan Demers
Colorisation : Ian Fortin
Idée originale : Tristan Demers
Décor : Jocelyn Jalette

Dépôt légal – Bibliothèque et Archives nationales du Québec, 2013
Dépôt légal – Bibliothèque et Archives Canada, 2013

ISBN: 978-2-89657-222-9

Nous reconnaissons l'aide financière du gouvernement du Canada
par l'entremise du Fonds du livre du Canada pour nos activités d'édition.

Les éditions les Malins inc.
Montréal, Québec

**Tristan Demers,
auteur de :**

Bandes dessinées aux éditions Boomerang :
Collection *Gargouille* : 13 tomes
Collection *Cosmos Café* : 3 tomes
Collection *Salto* : 5 tomes (illustrations seulement)

Livres documentaires aux Éditions Hurtubise :
Les enfants de la bulle
Tintin et le Québec, Hergé au cœur de la Révolution tranquille
La bande dessinée en classe

Roman illustré, aux éditions les Malins :
Les Introuvables 1, Piège de glace

Pour Oriane et Maève Bouffard qui, dans une autre vie, étaient assurément des fées... ;)

xx

Présentation
DES PERSONNAGES

PETIT RAPPEL :

QUI SONT-ILS ?

ADAM POINTU

(Environ 214 ans)

Adam est le seul vampire végétarien au monde. Il ne supporte pas la vue du sang et encore moins l'idée d'en boire ! Son ouïe est très développée : ses oreilles peuvent entendre voler une coccinelle à un kilomètre de distance.

Pour camoufler son identité de vampire, Adam peut cacher ses énormes canines dans ses gencives, ce qui lui donne l'apparence d'un homme tout à fait normal, mais aussi une voix très aiguë.

Il dort suspendu à une barre d'entraînement, la tête à l'envers, comme le ferait une chauve-souris. Adam a d'ailleurs un problème génétique qui fait en sorte qu'il se transforme en chauve-souris lorsqu'il éternue. Ce phénomène est hors de son contrôle, mais ne dure que quelques secondes.

Notre vampire est un clown dans l'âme. Il adore rire et faire des blagues.

OPHÉLIE LARIVIÈRE

(Environ 27 ans)

Alors que les autres sirènes habitent sous l'eau, loin de la civilisation, Ophélie préfère vivre sur la terre ferme avec ses deux colocataires, Adam et Douglas.

Dotée d'un fort caractère, il lui arrive d'être un peu trop sérieuse. Mais ses deux compagnons finissent toujours par la faire sourire. Ophélie est dotée d'un pouvoir particulier : son chant de sirène réussit à hypnotiser n'importe quel homme.

Afin de ne pas se faire repérer par les humains, elle doit déployer beaucoup d'efforts, puisqu'il n'est jamais facile de cacher une queue de poisson d'un mètre cinquante de long. Pour ce faire, elle se déplace en fauteuil roulant et porte de grandes jupes. Pour camoufler cette odeur de fond d'océan qui la suit partout, elle s'asperge de parfum (elle en a un plein tiroir dans la salle de toilette).

Ophélie dort dans le bain rempli d'eau, totalement immergée. Pour des raisons évidentes, elle est capable de respirer sous l'eau.

DOUGLAS LEBLANC

(Environ 7 ans... en âge de yéti)

Douglas est un abominable homme des neiges… doux comme un agneau ! Bien qu'il soit terriblement fort, il a horreur de blesser les gens, que ce soit par ses gestes ou ses mots. Ultrasensible de nature, il ne tolère ni la chicane ni les éclats de voix. Il a d'ailleurs tendance à pleurer lorsqu'une discussion dégénère.

Pour se soustraire à la vue des humains, notre yéti se déguise en vieille femme de ménage. Vêtu de sa robe et de son tablier, il porte aussi un foulard sur sa tête et des gants afin qu'on ne remarque pas le poil de ses mains.

Plutôt peureux de nature, Douglas redoute de parler aux humains, de crainte de se faire démasquer. Pour éviter d'avoir à le faire, il fait semblant de parler une langue étrangère.

À l'aise dans le froid et la neige, il dort dans le deuxième frigo spécialement aménagé pour lui. C'est, par contre, un atroce cuisinier !

Dans le tome précédent...

Adam, Ophélie et Douglas vivent ensemble dans le même appartement[1]. Vampire, sirène et yéti, les trois colocataires doivent cacher leur véritable identité à la face du monde pour protéger leur espèce et pour assurer leur propre sécurité. Sorcières, elfes, fées, lutins, gargouilles, monstres marins, extra-terrestres, etc., les Introuvables sont un grand nombre à vivre en secret parmi les humains.

Un jour, la CIA (Communauté des Introuvables Anonymes) convoque ses membres à une réunion importante pour leur annoncer qu'une menace plane sur eux. Selon une source non identifiée, un homme s'amuserait à capturer des Introuvables !

Lorsqu'une photo de ce dernier leur est dévoilée, Ophélie comprend que le suspect est le père du garçon qui ne cesse de lui tourner autour à l'école, et Douglas réalise que le malfaiteur est en réalité son patron.

Nos trois amis décident donc de mener leur propre enquête, grâce à laquelle ils finiront par sauver les prisonniers.

À la suite de cette aventure, le comte Vincent, le président de la CIA, leur offrira de devenir inspecteurs du tout nouveau comité de défense des Introuvables.

---

1. Attention ! Je m'apprête à vous dévoiler tout ce qui se passe dans le tome 1 (Piège de glace). Si vous ne l'avez pas lu et que vous ne voulez pas savoir le punch, fermez immédiatement ce livre et allez chercher le premier tome ! Sinon, je vous connais, vous allez vous mettre en boule dans votre bain et chigner comme un bébé : « Aaaahhhhhh ! Pourquoi je n'ai pas écouté la note en bas de page ? Aaaaahhhhh ! Je suis la pire personne au mooonnnde ! »
Bon. Premièrement, arrêtez de chialer, c'est fatigant ! Après tout, je vous avais avertis ! Deuxièmement, la pire personne au monde, ce n'est pas vous : c'est celui qui a inventé la gomme au savon. (Toutes les notes sont de l'auteure.)

✦ CHAPITRE 1 ✦

Biscuit dormait, **roulé** en boule sur le sofa, tout près d'Ophélie. Créature nocturne, il avait passé la nuit à courir partout et à **S'ÉNERVER**. Heureusement, les vacances de **Noël** étaient commencées et personne n'avait à se lever tôt le matin pour aller à l'école ou pour travailler.

Aucun des trois colocataires ne savait comment décorer un **sapin.** Mais il y en avait bel et bien un dans le salon, garni de vêtements, de COQUILLAGES, de bouteilles

vides, de fils de laine et de toutes sortes d'objets choisis au hasard dans l'appartement. Quelques CADEAUX attendaient patiemment au pied de l'arbre. L'un d'eux commençait d'ailleurs à puer. Un cadeau de la part de **DOUGLAS**, évidemment. Le pauvre ignorait que *les tomates pourrissent* plus rapidement lorsqu'on ne les met pas au réfrigérateur… Il ignorait aussi que donner un légume en guise de cadeau de Noël était la pire idée au monde.

Adam prit la télécommande et ALLUMA le téléviseur. Aux nouvelles, un homme à l'air sérieux terminait de présenter le sujet du jour.

« … LE DIRECTEUR DE LA PRISON S'EXPLIQUE DIFFICILEMENT LA CAUSE DE CETTE ÉVASION SPECTACULAIRE, QUI, ON LE RAPPELLE, N'A NÉCESSITÉ AUCUN USAGE DE LA FORCE. L'ENTREVUE DE MICHÈLE DESCÔTÉS. »

— Bon, encore des NOUVELLES DEPRIMANTES ! se plaignit le yéti.

— Attends, écoute ! fit aussitôt Ophélie.

La journaliste expliqua la situation :

« En effet, Gaston. Monsieur Garneau, qui dirige l'établissement depuis déjà plusieurs années, n'arrive pas à expliquer ce qui s'est passé ! Aucune porte n'a été forcée et on ne retrouve aucune trace de violence, ni sur les murs ni sur les barreaux de la cellule. On nous confirme qu'il n'y a pas eu d'émeute dans la prison non plus, ce qui, bien souvent, est LA technique utilisée pour tenter une évasion. Selon les informations recueillies, le détenu serait disparu de l'établissement entre *onze heures* 🕐 *et treize heures* 🕐. Toutefois, NI LES CAMÉRAS DE SURVEILLANCE NI LES GARDIENS ne peuvent témoigner de cette disparition mystérieuse. Une affaire bien étrange qui laisse tout le monde perplexe. "C'est comme si notre homme s'était littéralement évaporé !" a déclaré monsieur Garneau. Une enquête est en cours.

— Eh bien, merci, Michèle. Quant à vous, chers téléspectateurs, si vous possédez des informations pouvant aider à retrouver le criminel **Marcus Lajoie**...»

— QUOI ? !

— CHHHHUUTTT !

« ...vez qu'à appeler au numéro qui apparaît dans le bas de votre écran. C'étaient les *nouvelles en vrac,* mesdames et messieurs. Merci et bonne fin de journée ! »

Les trois amis se regardèrent, consternés.

— C'est impossible ! lança Adam, affolé.
— Attendez, calmez-vous, fit la sirène. Il y a sûrement une explication **LOGIQUE**.

Le téléphone *sonna* ♪ .

— Oui, allô ?

— **DOUGLAS !** C'est Vincent. Avez-vous appris la nouvelle ?

— Oui, on vient tout juste de l'entendre à la télévision,

C'EST TERRIBLE ! QUE SE PASSE-T-IL ?

— C'est exactement ce que je veux savoir. Personne ne peut me fournir de réponse satisfaisante, alors j'aimerais que vous alliez enquêter.

— Enquêter ?… Vous voulez dire à la prison ?

— Exactement. Je veux que vous vous rendiez sur place et que vous trouviez une explication à tout ça. Si *Marcus Lajoie* s'est évadé, nous ne sommes pas au bout de nos peines… Et qui sait ce qu'il pourrait faire maintenant qu'*il est libre* ? Tâchez de savoir comment il a pu s'échapper.

— Nous allons voir ce que nous pouvons faire.

— Merci. CONTACTEZ-MOI dès que vous avez du nouveau. N'oubliez pas que nous connaissons *Marcus Lajoie* d'une façon bien différente des humains. La police avait ses propres raisons de le faire enfermer, mais vous et moi savons que cet homme est une menace pour LES INTROUVABLES !

En effet, *Marcus Lajoie* et son fils étaient les seuls êtres humains à connaître l'existence des Introuvables, qui prenaient grand soin de camoufler leur véritable identité afin que personne ne sache qu'ils vivaient sur la Terre. Jules (le fils) ne leur voulait aucun mal, mais son père, UN HOMME CRUEL et SANS SCRUPULES, avait déjà enlevé des Introuvables pour les faire CONGELER afin d'en faire une collection. Heureusement, Ophélie, Douglas et Adam étaient intervenus juste à temps et avaient contrecarré les plans diaboliques de *Marcus Lajoie*. Depuis ce jour, ce dernier leur en voulait terriblement et ne souhaitait qu'une chose : se venger. Voilà pourquoi la nouvelle de son évasion était UNE CATASTROPHE.

— La première chose à faire serait de parler à Jules, lança la *sirène*. Peut-être qu'il sait ce qui se passe.

Le vampire fit un clin d'œil rempli de sous-entendus à Ophélie. Adam ne manquait pas une occasion de taquiner son amie au sujet de ce garçon, ce qui rendait celle-ci FURIEUSE.

— Bien sûr… Toutes les raisons sont bonnes pour parler à Jules, n'est-ce pas ?

— Vraiment, Adam ?! fit Ophélie, outrée. Je te rappelle que nous avons un grave problème sur les bras ! Ce n'est absolument pas le moment de faire des blagues qui, en passant, ne sont pas drôles du tout !

— Bon, bon, bon… Si on ne peut plus détendre l'atmosphère…

— L'ATMOSPHÈRE EST TRÈS DÉTENDUE !

Bilby, **ALARMÉ** par les cris, sauta par terre et se réfugia sous le sapin.

— … Oui, très détendue ! rétorqua le **vampire**, sarcastique.

La porte s'ouvrit **BRUSQUEMENT**, laissant entrer un Jules visiblement énervé.

— **OUAH !** s'exclama Douglas, médusé en regardant le nouvel arrivant. Est-ce que tu es un 𝒔𝗢𝗿𝒄𝒊𝗲𝗿 ?
— Hein ? Mais non ! Mais non, pourquoi tu me demandes ça ? fit le jeune homme blond.
— On a mentionné ton nom et… **POUF !** Tu es apparu ! Comme si tu nous avais entendus ! Si tu apparais à toutes les fois qu'on nomme ton nom, je vais devoir faire attention de ne jamais le dire lorsque je suis sous **la douche** !
— Ça ne serait pas bien grave, répondit Jules. Tu es un yéti ! Tout ton corps est couvert de 𝗉𝗈𝗂𝗅, je ne pourrais pas voir grand chose !
— Oh, mais ce n'est pas pour lui que ça serait grave, intervint Adam, moqueur. Vois-tu, notre ami a l'habitude de

chanter sous la douche. C'est donc pour TOI que ça serait DANGEREUX : tu pourrais te briser les tympans !

— Hé ! Je ne chante ♪ pas si mal, tout de même ! se défendit Douglas.

— Tu as raison, admit Adam. Dans un concours de chant contre UN POT DE CORNICHONS, tu gagnerais haut la main.

— Mais… ça ne chante même pas, un pot de cornichons !

— C'est exactement ce que je dis : **TU GAGNERAIS HAUT LA MAIN !**

Le yéti fronça les sourcils, confus.
Ophélie soupira BRUYAMMENT avant de s'écrier :

— NON, MAIS ÇA FINIT BIENTÔT, CETTE CONVERSATION
RIDICULE, OUI ? JE VOUS RAPPELLE QUE *Marcus Lajoie*
S'EST ÉVADÉ DE PRISON !

Son intervention calma les ardeurs de ses deux
compagnons. Adam ne souriait plus. Il se sentait
HONTEUX. Son amie avait raison :
CE N'ÉTAIT PAS LE MOMENT DE FAIRE DES BLAGUES.

— Alors… dit la sirène en regardant Jules. Qu'est-ce qui se
passe ? As-tu DES NOUVELLES de ton père ? Sais-tu
où il est ?

Le jeune homme hocha la tête. La police était
débarquée chez lui et avait fouillé partout, dans toutes
les pièces, tous les recoins, toutes les armoires. Mais
Marcus Lajoie n'était pas assez bête pour se cacher
dans sa propre maison… Il savait bien que c'était là qu'on
irait le   en premier.

— Il ne t'a pas appelé ? insista Adam. Tu ne sais rien du tout ?

— Absolument rien ! De toute façon, mon téléphone est sur écoute. Si mon père me ☎ TÉLÉPHONAIT, **LES AUTORITÉS** le retrouveraient immédiatement ! Pour éviter de se faire prendre à nouveau, LA DERNIÈRE PERSONNE AU MONDE avec qui il doit entrer en contact, C'EST MOI.

Ils discutèrent longtemps pour tenter de déterminer où se trouvait l'homme le plus recherché de l'*heure* 🕐.

— Possédez-vous UN CHALET ? Il aurait pu aller là !

— Non.

— Alors peut-être que ses amis l'aident à se cacher ?

— C'est triste à dire, mais à ce que je sache, mon père n'a **AUCUN AMI.**

— Ce n'est pas SURPRENANT, grogna le yéti. Quand on traite les gens comme il le fait, personne ne veut être notre ami !

Au final, ils n'étaient pas plus avancés.

— Bon. Alors il ne reste plus qu'une chose à faire : aller effectuer CETTE FOUTUE enquête à la prison…

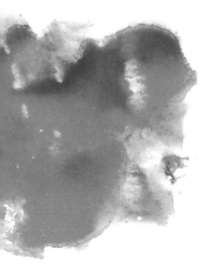

CHAPITRE 2

Adam portait des **pantalons propres de couleur noire** et une CHEMISE BLANCHE. Ses cheveux coiffés vers l'arrière avec du GEL lui donnaient un petit côté *aristocrate.* Un contraste plutôt frappant avec son style habituel. Douglas s'était moqué de lui, mais le vampire avait insisté : ils se devaient d'avoir L'AIR PROFESSIONNEL.

— Nous sommes supposés être des enquêteurs ! s'était-il emporté. Avez-vous déjà vu un enquêteur vêtu de

PANTALONS TROP LARGES, d'un chandail à capuchon et d'**une casquette** ? Ça ne serait pas crédible ! Toi aussi, Doug, tu vas devoir trouver autre chose que **TON VIEUX COSTUME** de ménagère !

C'est ainsi que le yéti s'était retrouvé affublé d'UN GRAND MANTEAU, de **GANTS VERTS** et d'un chapeau à la **SHERLOCK HOLMES**.

— Attends… Tu déconnes, là ! avait dit Ophélie en riant. Ce chapeau, c'est le cliché le plus éculé **AU MONDE !**
— Hé ! C'est Adam qui l'a dit : on doit avoir l'AIR PROFESSIONNEL !

Ophélie ne put rien faire pour dissuader Douglas de porter ces vêtements ridicules. Une heure plus tard, les trois amis quittaient l'appartement pour remplir leur mission.

— Bonjour, dit Ophélie à l'homme qui gardait l'entrée de la prison. Nous sommes les **INSPECTEURS DE L'UNITÉ SPÉCIALE DE LA CIA.** Nous venons enquêter sur l'évasion. **MERCI DE BIEN VOULOIR NOUS LAISSER PASSER.**

Ils s'engouffrèrent dans LES COULOIRS de l'édifice sans dire un mot. **DOUGLAS** ne cessait de regarder derrière lui pour s'assurer que le gardien ne découvre pas la supercherie et ne se lance pas à leur poursuite. Les humains ignoraient tout de la Communauté des **INTROUVABLES ANONYMES**. Pour eux, CIA voulait dire Central Intelligence Agency (ou Agence centrale de renseignements, en français), une agence qui travaillait pour le gouvernement des États-Unis et qui servait, entre autres, à prévenir LES ATTAQUES TERRORISTES. Le préposé à la sécurité s'en fit d'ailleurs la remarque : pourquoi la **CIA** venait-elle enquêter sur une évasion de prison ? Est-ce que *Marcus Lajoie* était un terroriste ? L'homme se gratta la tête, perplexe. LE BADGE de ces trois enquêteurs avait pourtant l'air authentique, ça ne pouvait pas être des imposteurs…
Il ↑HAUSSA↑ les épaules. Après tout, ça ne le regardait pas. Ces trois personnes possédaient les AUTORISATIONS nécessaires pour entrer. C'était tout ce qui comptait. Tout de même étrange qu'une agente de la **CIA** se déplace en **FAUTEUIL ROULANT**… M'enfin.

Adam, Ophélie et Douglas traversèrent un long couloir bordé de cellules, dans lesquelles on pouvait voir des PRISONNIERS paresseusement appuyés contre les barreaux.

— **SORTEZ-MOI D'ICI !** chignait l'un d'eux.
— JE N'AI RIEN FAIT ! plaida un autre.
— QU'EST-CE QUE TU REGARDES, TOI ? cracha un homme à l'air méchant.

Du fond de son cachot, un autre détenu qui cherchait le trouble dévisagea Adam et lui lança :

— HÉ, LE MAIGRICHON ! DES PETITS MINABLES COMME TOI, J'EN MANGE QUATRE POUR SOUPER !

Ne prenant même pas le temps de réfléchir, le vampire répondit du tac au tac :

— SI TU SAVAIS, MON VIEUX... MOI AUSSI, JE POURRAIS EN MANGER QUATRE COMME TOI, SI JE LE VOULAIS !

Évidemment, pour éviter de se faire repérer, Adam avait caché ses grandes canines () à l'intérieur () de ses gencives, ce qui lui donnait une voix ridicule. Tous les prisonniers s'esclaffèrent en l'entendant. Certains commencèrent même à se moquer de lui :

— HA ! HA ! HA ! DIS DONC, TU N'AS PAS FINI DE MUER ?

— Ta mère t'a fait respirer de l'hélium avant de partir, monsieur l'inspecteur ?

— CE N'EST PAS BON DE SE FOUILLER DANS LE NEZ, TU SAIS ! ON FINIT PAR RESTER COINCÉ ! HA ! HA ! HA !

Tous les détenus se mirent à crier et à insulter les trois amis, en donnant des coups sur les barres qui les retenaient CAPTIFS. Quelques-uns commencèrent même à jeter des objets à travers les grilles. Livres, rouleaux de papier hygiénique, vêtements ; tout ce qui se trouvait sous la main pouvait servir de projectile. Les bandits étaient surexcités. Sans ces cages pour les retenir, il y aurait eu une émeute dans la prison. Les agents de sécurité arrivèrent au pas de course pour tenter de **RÉGLER LA SITUATION.** Pendant que les uns SONNAIENT L'ALARME et ÉTEIGNAIENT LES LUMIÈRES, d'autres aboyaient des ordres aux prisonniers turbulents.

— Suivez-moi ! cria un **GARDIEN COSTAUD** à Ophélie, **DOUGLAS** et Adam. Vous ne pouvez pas rester là, c'est DANGEREUX ! Par ici !

Il les entraîna dans un couloir adjacent et glissa une carte d'accès dans un lecteur, ce qui déverrouilla une porte menant vers un raccourci. En moins de deux, ils eurent traversé toute l'aile qui menait à la **cellule** de *Marcus Lajoie.*

— Voilà, c'est ici. Prenez le temps que vous voulez et si vous avez besoin de quoi que ce soit, ne vous gênez pas pour appeler.

L'homme s'en alla, laissant les « **EXPERTS** » travailler. La pièce où le détenu purgeait sa peine ressemblait à ce que n'importe quelle cellule pouvait ressembler. **PETITE, BLANCHE ET FROIDE :** rien qui puisse donner l'envie d'y passer du temps. Douglas fouilla dans les poches de son imperméable et sortit du ruban de plastique jaune sur lequel on pouvait lire :

« ATTENTION – SCÈNE DE CRIME. »

— Qu'est-ce que tu fais ? demanda la *sirène.*
— Un périmètre de sécurité, répondit le yéti.

— Quoi ? Mais qu'est-ce que…

— Laisse-moi faire, j'ai vu ça à la Télévision ! C'est important !

— … Et pour quelle raison est-ce **IMPORTANT** ?

— Je n'en ai aucune idée ! Pousse-toi, s'il te plaît, tu es dans mon chemin.

Sans plus d'explications, il termina de ✖clôturer✖ la cellule qu'occupait *Marcus Lajoie* avant son évasion.

Il passa ensuite à l'intérieur du périmètre et sortit une CRAIE BLANCHE, puis *dessina le contour de chaque objet sur le sol.*

— … Et là, qu'est-ce que tu fais ? questionna Adam.

— Les pièces à conviction ! *IL FAUT LES SITUER DANS L'ESPACE* ! C'est pour le rapport…

— Mais nous n'avons aucun rapp…

Ophélie donna *un coup de coude* au **vampire**. Ça ne servait à rien de s'obstiner : Douglas prenait visiblement son rôle trop à *coeur* ♥. Autant le laisser faire, on perdrait moins de temps.

Le yéti termina de tracer le contour d'un drap jeté par terre et observa son « œuvre », satisfait.

— On peut commencer, maintenant ?

— Oui ! Allons-y !

Ils vérifièrent tout d'abord chaque brique du mur, pour s'assurer qu'aucune d'entre elles ne cachât

≥un passage secret ☆☆ vers une sortie quelconque. Adam s'agrippa ensuite à la toilette et tira de TOUTES SES FORCES.

— Euh… Tu sais que nous en avons une à l'appartement, n'est-ce pas ? observa Douglas. Tu n'as pas besoin de voler celle-là !

— ▓▓▓▓▓▓ répondit son ami, en continuant de forcer. J'ai déjà vu un truc du genre, dans un **reportage**… Le hmf ! Le prisonnier… **HmF…** s'était creusé un trou derrière la cuvette et il n'avait qu'à la déplacer pour s'enfuir… Hmf !

— Eh bien, visiblement, ce n'est pas le cas cette fois-ci, conclut la *sirène.*

DOUGLAS en profita pour prendre des centaines de photos. Tout ce qui se trouvait à portée de vue, jusque sous le lit, fut immortalisé à travers sa lentille. Dans son autre main, un appareil électronique enregistrait chacune de ses réflexions :

— Le mur est bien scellé – **STOP.** Toutes les briques sont **SOLIDES** – **STOP.** AUCUNE FAILLE n'aurait pu permettre au suspect de passer par là – **STOP.**

— Hum ! Hum ! Ce n'est pas un **SUSPECT** : sa culpabilité a été prouvée…

— … Le coupable, alors – **STOP.** Il règne dans la pièce un certain désordre – **STOP.** Comme si le suspect… euh ! Pardon ! Je veux dire le **COUPABLE** – **STOP.** Euh non, pas stop – **STOP.** Ma phrase continue – **STOP.** Qu'est-ce que je disais, déjà ? Ah oui ! On dirait que dans sa hâte de partir, le coupable a lancé son drap par terre – **STOP.**

— Ça ne veut rien dire, voyons ! s'insurgea la sirène. Les policiers sont venus bien avant nous. Si ça se trouve, ce sont eux qui ont mis la pièce en DÉSORDRE !

— Je ne suis pas d'accord avec toi, Ophélie – **STOP.**

— Tu sais que tu n'as pas besoin d'ENREGISTRER ● tout ce que tu me dis, n'est-ce pas ?

— Je sais – **STOP.**

45

Son amie leva les yeux au ciel, mais choisit de ne pas
se laisser entraîner dans une discussion aussi futile que
ridicule. Ils continuèrent à inspecter méticuleusement
l'endroit, retournant les livres et fouillant chaque tiroir,
pour enfin se rendre à l'évidence : aucun indice ne leur
permettrait d'élucider ce mystère. Ne restait qu'une
chose à faire : QUESTIONNER LES GARDIENS.

CHAPITRE 3

— Où étiez-vous, *le soir de l'évasion* de **Marcus Lajoie** ?
fit Adam, de sa VOIX AIGUË.

Il SCRUTAIT le visage du pauvre homme **embarrassé**
et nerveux. Les autres POLICIERS avaient déjà questionné
le gardien durant *des heures*. Pourquoi est-ce

qu'on lui demandait toutes ces choses à nouveau ? Est-ce qu'on le soupçonnait ? Et pourquoi ce grand inspecteur au chapeau dessinait-il le contour de toutes les pattes de chaises avec une craie ? Est-ce qu'ils allaient l'arrêter ?

— Je suis innocent, je vous le promets ! plaida-t-il.
— Il n'est pas question de ça pour le moment, monsieur, euh… ?
— Lafrance… GILBERT LAFRANCE.
— Monsieur LAFRANCE. Nous essayons seulement de comprendre ce qui s'est passé ce jour-là.
— Eh bien, j'étais de service depuis la veille. Nous étions quatre À SURVEILLER cette aile de la prison.
— Qui sont les trois autres ?
— Robert, Carl et Martin.

Ophélie, qui écoutait attentivement toutes les réponses, nota les noms sur son calepin. Il faudrait les rencontrer eux aussi.

— Personne d'autre que vous quatre ne s'est approché de la CELLULE DU CRIMINEL ? reprit Adam.

— Non. De toute façon, tout le monde doit signer un registre avant d'entrer dans les différentes parties de la prison. Et il y a bien sûr des **caméras de surveillance** 🎥 aux entrées et aux sorties de toutes les sections.

— Vous dites que vous étiez en service depuis la veille — **STOP** ? s'interposa le yéti en plantant SON ENREGISTREUR• sous le menton de l'homme.

— Oui... J'étais de garde toute la nuit... répondit ce
dernier, sans trop savoir s'il devait dire « **STOP** » lui aussi,
ou pas.
— S'est-il passé quelque chose d'anormal durant la
nuit — **STOP** ?

La sirène LEVA LES YEUX AU CIEL. Douglas en mettait vraiment trop.

— La seule est arrivée durant
mon heure de lunch. Il semblerait que *Marcus*
Lajoie ait été escorté hors de sa cellule par Robert, mais
je ne sais pas pourquoi.
— VOUS VOULEZ DIRE ... IL EST SORTI DE SA CELLULE ? précisa Adam.
— Oui.
— Pour quelle raison ?
— Je viens de vous dire que je ne sais pas : j'étais en
PAUSE à ce moment-là. Je vous fais simplement part de ce
que j'ai entendu dire. Mais de toute façon, ça ne change
rien, parce que ce n'est pas à ce moment-là qu'il s'est
sauvé.

Ils remercièrent Gilbert et le laissèrent sortir. **DOUGLAS** proposa d'aller chercher un des trois autres gardiens pour le questionner à son tour, mais Ophélie eut une idée.

— Nous devrions plutôt jeter un un coup d'oeil aux **bandes vidéos des caméras de surveillance**. Cette histoire de promenade en pleine nuit me chicote…

— BONNE IDÉE !

Ils allèrent donc voir **LE DIRECTEUR** de l'établissement. Celui-ci était assis derrière **SON BUREAU**, occupé à classer de la paperasse.

— Bonjour, nous aimerions visionner les bandes vidéo du soir de l'évasion, s'il vous plaît.

L'homme se <u>LEVA</u> aussitôt, attacha le bouton de son **son veston brun** et les escorta jusqu'au **BUREAU DE SURVEILLANCE,** où les trois amis s'installèrent et se mirent à fixer un écran. Dans l'angle de la **caméra**, on pouvait voir un bout de couloir bordé de deux cellules.

Rien ne bougeait. Ils restèrent un bon moment à scruter l'image dans l'espoir d'apercevoir un détail important. En vain. Ophélie décida finalement d'appuyer sur le bouton d'*avance rapide* ▶▶ ▶▶.

— Là ! fit **DOUGLAS**, en apercevant un mouvement après quelques secondes.

La *sirène* relâcha le bouton et, à la vitesse normale, on vit une **SILHOUETTE** entrer dans **LE CADRE** et se ⌐DIRIGER vers les geôles[2] plus éloignées. Le gardien portait son habit réglementaire et sa casquette. Lorsqu'il tourna la tête, on put remarquer des lunettes de soleil sur le bout de son nez.

— À quoi peuvent bien servir ces verres fumés ? tiqua Adam. Il est à l'intérieur () de la prison, au beau milieu de la nuit ! Ça ne tient pas debout…

L'homme disparut au fond du corridor et revint quelques secondes plus tard vers la **caméra**, accompagné d'un ***Marcus Lajoie*** menotté. Les deux hommes s'approchèrent en silence de la porte, puis sortirent du CADRE DE L'IMAGE. Tout redevint alors **IMMOBILE**.

---

2. Une geôle, c'est exactement la même chose qu'une cellule, mais écrit avec d'autres lettres. J'ignore pourquoi il y a un « e » à côté du « ô ». D'après moi, la personne qui a inventé ce mot-là voulait écrire « logée », mais a échappé les lettres par terre et a cassé l'accent aigu. En les ramassant, elle n'arrivait pas à se souvenir dans quel ordre les placer et a donc tout mélangé au hasard sans se rendre compte que ça donnait un résultat complètement ridicule. Je la soupçonne d'ailleurs d'avoir aussi inventé les mots « rougeole », « Œdipe » et « fœtus ».

— Où s'en vont-ils ? demanda Adam.

— Je ne sais pas, répondit Ophélie.

— C'est peut-être comme ça qu'il a réussi à se sauver ! s'écria **DOUGLAS.** Un agent l'a fait sortir !

— Mais non, franchement, fit la *sirène.* Premièrement, si c'était aussi facile, nous ne serions pas là aujourd'hui. Je veux dire : Penses-tu vraiment que les policiers n'ont pas regardé cette vidéo eux aussi ? Si cet agent l'avait fait sortir, on le saurait.

— De toute façon, regardez : ils reviennent ! lança le vampire.

Effectivement, *sept minutes plus tard* ⏰, on vit réapparaître les deux hommes dans l'écran. Ils marchaient dos à la caméra, mais ***Marcus Lajoie*** se retourna brièvement et on put apercevoir son visage. Quelques secondes plus tard, le gardien revenait seul, le regard penché sur son trousseau de clés⊶, signe que le prisonnier était de retour derrière les barreaux. La **vidéo** se terminait SANS AUCUN autre incident.

— Je ne comprends pas, déclara Ophélie.

Pourquoi Marcus Lajoie est-il sorti de sa cellule en pleine nuit, escorté par un **AGENT DE SÉCURITÉ** ? Pour quelle raison fait-on sortir un détenu à une heure pareille ?

— Eh bien, je connais un moyen facile de le savoir, dit Adam. Demandons à notre ami le gardien !

Les trois amis décidèrent donc d'interroger **Robert Couture** et c'est là que les choses se corsèrent.

— JE VOUS JURE QUE CE N'EST PAS MOI, SUR CETTE VIDÉO ! s'écria ce dernier.

Je sais que c'est mon visage qu'on voit, mais je n'étais pas sur cet étage, à ce moment-là ! Vous n'avez pas parlé avec les policiers chargés de l'enquête ? Je peux prouver que je n'ai rien à voir avec cette histoire : allez fouiller dans le registre de L'INFIRMERIE ! C'est là que j'ai passé toute la soirée !

— Pourquoi étiez-vous à l'infirmerie ?

— Une urgence : un autre prisonnier a fait une grosse INTOXICATION ALIMENTAIRE et j'ai dû l'emmener se faire soigner. On l'a gardé en observation toute la nuit et moi, j'ai dû demeurer sur place pour le surveiller.

— Pourquoi étiez-vous obligé de rester là ?

— C'EST LE RÈGLEMENT.

— Donc vous dites que vous n'avez PAS vu Marcus Lajoie la veille de son ÉVASION ?

— Exact !

— Alors que faites-vous sur la vidéo ?

— J'aimerais bien le savoir ! Vous ne comprenez donc pas que c'est un coup monté ? Il y a un traître qui se fait passer pour moi ! Si je l'attrape, je vous jure qu'il va le regretter !

Regardez les **REGISTRES**, **INTERROGEZ TOUT LE MONDE** : vous allez bien voir que je n'ai rien à voir dans cette histoire ! **Je vous DIS que ce n'est pas moi !**

L'interrogatoire 💬 se termina quelques minutes plus tard. Les enquêteurs retournèrent à la cellule du disparu dans l'espoir de trouver UN NOUVEL INDICE.

— On dirait que je suis encore plus *mêlé* qu'au DÉPART, laissa tomber Douglas.

— Mais c'est RIDICULE ! explosa Adam. Ça ne tient pas DEBOUT, tout ça ! Nous avons vu **Marcus Lajoie** retourner à sa cellule, ce qui veut dire qu'il ne s'est pas évadé durant la nuit... Alors pourquoi toute cette mascarade ? Pourquoi le gardien s'est-il déguisé ? Où sont-ils allés ? Et surtout : que s'est-il passé durant ces sept minutes ?

Le silence tomba dans la PETITE PIÈCE. Les trois amis réfléchissaient à toutes ces questions, essayant de mettre de l'ordre dans leurs pensées. **LE DIRECTEUR** revint les voir pour s'assurer qu'ils n'avaient besoin de rien.

— Que se passe-t-il normalement, dans la prison, entre *onze heures* et *treize heures* ? lui demanda soudainement Ophélie.

— À onze heures, c'est la promenade, dit l'homme au veston brun. Les prisonniers ont le droit de sortir dans la cour durant une heure.

LES YEUX DE LA SIRÈNE S'ILLUMINÈRENT.

— Serait-ce possible d'avoir une copie de la vidéo que nous venons de regarder, s'il vous plaît ? demanda-t-elle.

— Bien sûr, fit **LE DIRECTEUR.** Vous pouvez prendre celle-ci, nous en avons une autre dans **NOS ARCHIVES** .

— Très bien ! s'emballa Ophélie. Dans ce cas, nous avons tout le nécessaire, *merci beaucoup* !

Puis, elle lança aux deux autres :

— *Les gars, nous partons.*

— Hein ? ! fit **DOUGLAS.** Mais… Et les autres, on ne les interroge pas ?

— *Pas besoin. En route !*

📺 CHAPITRE 4 📺

— Je sais exactement ce qui s'est passé ! annonça Ophélie, TRIOMPHANTE, une fois de retour à l'appartement.

Le **vampire** et le yéti attendaient IMPATIEMMENT ses explications.  ils l'avaient harcelée

pour savoir ce qui se passait dans sa tête, mais *leur amie* voulait absolument attendre d'arriver chez eux avant de déballer le FOND DE SA PENSÉE.

— Voilà, expliqua-t-elle. **Marcus Lajoie** ne s'est pas évadé entre onze heures et treize heures… Tout s'est passé durant la nuit !

Adam SE FROTTA le visage, épuisé. Douglas scrutait le vide, essayant de comprendre.

— Mais… Mais… bafouilla-t-il. Il ne peut pas s'être sauvé durant la nuit : NOUS L'AVONS VU RETOURNER À SA CELLULE !
— Justement, ce n'était pas lui !
— C'était qui, alors ? Son frère jumeau ?! Parce que l'homme sur la vidéo lui ressemblait drôlement !
— C'est exactement ce que j'essaie de vous dire : il s'agit d'un DÉMON-ROUGE !

La sirène laissa passer un temps, pour permettre à l'idée de se tracer un chemin dans la tête de ses amis.

— Pensez-y, reprit-elle. Les démons-rouges peuvent *se transformer* en n'importe quelle personne, pourvu qu'ils aient déjà eu un *contact physique* avec celle-ci. Il suffit que l'un d'eux se soit GLISSÉ DANS LA PRISON sous **L'APPARENCE** d'un livreur, d'un visiteur ou de n'importe qui d'autre. À partir de ce moment, il n'avait qu'à SERRER LA MAIN des gardiens pour passer inaperçu dans la prison et se promener à sa guise sans se faire repérer ! Puis, la nuit venue, quand le vrai **Robert Couture** est parti à L'INFIRMERIE avec un détenu malade, c'est là que tout s'est joué :

le **DÉMON-ROUGE** a pris l'apparence du gardien et est allé chercher Marcus Lajoie dans sa cellule. Puis, ils sont sortis tous les deux du couloir et ils ont échangé leurs vêtements.

— Ce qui leur a pris *sept minutes* ! ajouta le yéti.
— C'était donc pour ÇA, les lunettes fumées ! comprit Adam. Puisque *Marcus Lajoie* ne peut pas se

métamorphoser, il fallait trouver une façon de lui cacher le visage !

— Exactement ! Donc, après avoir échangé leurs vêtements, les deux hommes sont revenus vers la cellule et c'est le **DÉMON-ROUGE** qui y est entré, sous l'apparence de Marcus Lajoie, qui, lui, est sorti tout bonnement de la prison par **LA PORTE D'ENTREE** !

— … Et personne n'a soupçonné qu'un prisonnier était en train de s'évader, parce qu'il était déguisé en gardien !

— Voilà, tu as tout compris !

— BRILLANT ! fit Douglas. Mais… ça n'explique pas comment le faux *Marcus Lajoie,* celui dans la cellule, a pu se sauver à son tour…

— Facile : pendant la promenade le lendemain, entre *onze heures* ⏰ et *treize heures* ⏰, il s'est écarté du groupe pour ne pas se faire voir et s'est à nouveau transformé en gardien ! Au moment de rentrer, il n'y avait donc plus de *Marcus Lajoie,* et, encore une fois, l'imposteur est sorti par la grande porte en se faisant passer pour un employé de la prison !

— Ça expliquerait pourquoi il n'y a eu aucune

et qu'aucune **serrure** n'ait été forcée !

— Ça expliquerait tout, en fait : pourquoi personne n'a vu *Marcus Lajoie* s'enfuir ; pourquoi **Robert Couture** apparaît sur la bande vidéo, alors qu'au même moment il était à l'infirmerie… Ça expliquerait même pourquoi personne n'est capable de résoudre le mystère de cette histoire : *les humains* ignorent l'existence des   ! Alors c'est certain qu'ils ne peuvent pas comprendre.

C'était d'une LOGIQUE IMPLACABLE Mais ça n'expliquait pas comment les démons-rouges et *Marcus Lajoie* étaient devenus alliés.

— Vous connaissez le dicton : QUI SE RESSEMBLE S'ASSEMBLE !

— Ouais… C'est le cas de le dire ! Maintenant, on fait quoi ? Il va bien falloir le retrouver…

— Ouvrez votre Télévision ! ordonna le **comte Vincent,** à l'autre bout de la ligne.

Ce qu'ils firent. À l'écran, on annonçait UN COMMUNIQUÉ SPÉCIAL DE HAUTE IMPORTANCE :

« LA FAUNE MARINE EST EN PÉRIL ! En effet, depuis ce matin, plusieurs témoins ont constaté que des milliers de petits poissons flottaient sur les rives de l'océan, et le bilan S'ALOURDIT d'heure en heure ! Pour le moment, il ne s'agit que de quelques espèces, mais selon les chercheurs, les autres commenceraient elles aussi à ressentir les effets de l'épidémie, et si la situation continue ainsi, on craint que dans les prochains jours la vie sous-marine de ce **GIGANTESQUE** bassin aquatique ne soit complètement anéantie. Au départ, on soupçonnait **LA POLLUTION** comme étant la cause de toutes ces morts, mais il s'agirait en réalité d'un problème beaucoup plus grave. En effet, après l'analyse d'un échantillon d'eau, les chercheurs auraient trouvé une forme de *POISON TRÈS RARE ET TRÈS TOXIQUE* agissant directement sur le

système nerveux des espèces marines ! Plus **l'animal** est empoisonné, plus il se sent fatigué. Tout son corps se met alors à fonctionner au ralenti, jusqu'à s'arrêter complètement, et c'est à ce moment que **la mort** ☠ survient. »

— HO NON ! ! ! cria Douglas. MAIS QU'EST-CE QU'ON VA MANGER, SI TOUS LES POISSONS MEURENT ? !

— MANGER ? ! cracha Ophélie, furieuse.

C'EST MA FAMILLE QUI VIT LÀ-DEDANS, NOM D'UNE CRIQUE ! MA FAMILLE, DOUGLAS, M'ENTENDS-TU ? ! TOUTE MA FAMILLE VIT DANS CET OCÉAN ! ! !

La lèvre inférieure du yéti se mit à trembloter à mesure que ses yeux s'emplissaient d'eau. Il n'avait pas du tout réfléchi à ce détail avant de parler. Il alla à la cuisine et entra dans le DEUXIÈME FRIGO.

— BouHOUUUUU ! entendit-on à travers la porte. Bilby courut vers l'électroménager, alarmé. Que se passait-il ? Pourquoi le gros monsieur blanc pleurait-il ?

La sirène croisa les bras, mécontente. Hors de question

d'aller le consoler. Il n'aurait qu'à réfléchir avant de parler, la prochaine fois. Et puis, de toute façon, elle n'avait pas de temps à perdre avec les humeurs de son colocataire : SA FAMILLE COURAIT UN GRAVE DANGER !

— Je dois y aller, décida-t-elle. Il faut que j'aille les aider !
— Attends, c'est ridicule, intervint Adam.
— QU'EST-CE QUI EST RIDICULE, HEIN ? QUE JE VEUILLE SAUVER LES MIENS ? !
— CALME-TOI, OPHÉ ! ordonna le vampire. Je comprends très bien que tu veuilles venir en aide à ta famille, mais nous ne savons absolument rien de la menace ! D'où vient CE POISON ? Qui est derrière tout ça ? Pourquoi ? Si tu meurs toi aussi en essayant de SECOURIR TON ESPÈCE, tu ne seras pas plus avancée ! Nous avons d'abord besoin d'UN PLAN. Et d'informations !

Il avait raison. Mais le TEMPS PRESSAIT ! Il fallait trouver ce qui faisait MOURIR TOUS CES POISSONS, détruire cette chose, et, si possible, sauver les habitants de l'océan ! Impossible d'y arriver sans PLONGER !

Sauf que Douglas et Adam ne pouvaient pas respirer sous l'eau…

— Il vous faudrait **des habits** de plongée ! s'exclama la sirène.

— Pas assez sécuritaire, répondit Adam. Plus l'eau est profonde dans **les lacs** et **les océans,** plus la **PRESSION EST FORTE**. Avec un simple habit de plongée, tous *nos os se casseraient*, comme si un **géant** nous écrasait dans sa main…

—

dans ce cas, rétorqua son amie. C'est plus rigide et ils servent justement à protéger contre la pression !

— Eh bien, ça ressemble à un UN DÉBUT DE PLAN, ça ! sourit le vampire.

Douglas revint de la cuisine, un *air piteux* collé au visage.

— JE SUIS DÉSOLÉ, OPHÉLIIIIIIE ! TU SAIS BIEN QUE JE NE VOULAIS PAS… JE… JE…

— Je sais, Doudou... répondit son amie, plus calme. Tu n'y avais pas pensé.

Heureux de constater qu'elle n'était plus fâchée, le yéti s'approcha de la sirène, LA SOULEVA DE TERRE et la serra dans ses bras, de toutes ses forces.

— Doudou ! fit-elle, d'une **voix étranglée,**
TU M'ÉTOUFFES ! **TU M'ÉTOUFFES** !
— Tu vois ? souffla Adam, moqueur. C'est exactement
comme ça qu'on se sentirait, dans un **habit de**
plongée.

❦ CHAPITRE 5 ❦

Les scaphandres n'étant plus à la mode, il était excessivement difficile d'en trouver un[3]. Ophélie, Adam et Douglas avaient cherché dans tous les magasins, dans toutes les boutiques de plongée, sans succès. Ils retournaient vers l'appartement dans un SILENCE DÉCOURAGÉ quand Adam s'écria :

—  !

---

3. Savez-vous ce qui est plus difficile que trouver un habit de scaphandrier ? Trouver deux habits de scaphandrier.

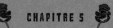

Bélénos, un INTROUVABLE lui aussi, pouvait réaliser n'importe quel souhait, pourvu qu'on lui en fasse la demande. Comme tous **les génies,** il apparaissait lorsqu'on frottait une LAMPE À L'HUILE. La croyance populaire veut que seules certaines lampes très rares soient MAGIQUES, mais en réalité, un peu comme on voyagerait à travers un téléporteur, les génies arrivent à se déplacer à travers toutes les lampes du monde pour rencontrer ceux qui les invoquent.

— Mais bien sûr ! approuva Douglas. La voilà, la solution : demander à un génie de nous faire apparaître un scaphandre ! QUELLE BONNE IDÉE !
— **Une idée... de génie,** tu veux dire ! corrigea le vampire, avec un

Encore fallait-il dénicher une lampe à l'huile. Ce genre d'objet ne se trouvait pas à tous LES COINS DE RUE...

— Oh, mais, attendez ! Il y en a une chez mon ancien patron, se souvint Douglas.

— Oui, c'est vrai ! acquiesça Adam. Sur le bureau de travail de **Marcus Lajoie,** je me souviens !

— Et ça tombe bien, parce que nous allons aussi avoir besoin de son fils, renchérit Ophélie.

Les génies n'accordaient leurs vœux qu'aux êtres humains. Pour une **RAISON OBSCURE**, leur magie n'opérait tout simplement pas sur les autres Introuvables. Le **vampire,** la *sirène* et le **YÉTI** se rendirent donc au manoir des Lajoie, où ils furent accueillis **CHALEUREUSEMENT.**

— Entrez, entrez ! les invita Jules. Que se passe-t-il ? Ils lui expliquèrent leur plan et lui demandèrent d'y participer. Ce qu'il accepta volontiers, très excité de rencontrer **un vrai génie**[4] !

Un grand ménage avait été fait dans le **BUREAU** de **Marcus Lajoie** depuis leur dernière visite. Par contre, la vieille lampe se trouvait toujours là. Un grand **CRAC !** se fit entendre lorsqu'ils la frottèrent.

---

4. Savez-vous ce qui est plus difficile que de vivre dans une petite lampe ? Trouver deux habits de scaphandrier.

— Bonjouuuur ! salua Bélénos, apparaissant dans UN NUAGE DE FUMÉE. Mais… que vois-je ? Un Terrien ? Quelle BELLE SURPRISE ! Comment t'appelles-tu ?

— Jules.

— Très bien, Ju-Jules !

— Euh… C'est un seul « Ju »… Jules.

— C'est ce que j'ai dit : Ju… Jules !

Adam pouffa de rire. Le gardien des souhaits (c'est ainsi qu'on le surnommait) prenait un *malin plaisir* à semer *la confusion* dans l'esprit des hommes, jusqu'à ce que ceux-ci ne soient plus capables de penser clairement. À travers l'histoire, plusieurs personnes étaient devenues Folles à force d'essayer de négocier avec le génie. Ce dernier possédait UNE INTELLIGENCE hors du commun, et pour lui, réaliser un souhait devenait souvent un *jeu malicieux.*

— Alors voici **LES RÈGLES,** déclara pompeusement Bélénos en se bombant le torse. Puisque tu as frotté la lampe, tu es maintenant mon maître ! Ce titre te donne le droit à

trois souhaits. Mais fais bien **ATTENTION** à ce que tu demandes, car je te donnerai exactement ce que tu auras désiré !

Ce que le génie ignorait, c'est qu'il avait affaire à un adversaire de TAILLE : Jules était un garçon très rusé et plutôt intelligent. Et lui aussi aimait bien tourner () les situations à son avantage.

— D'accord, dit-il. Mais avant de commencer, j'aurais trois questions à te poser.

Ophélie fronça les sourcils, inquiète. Que manigançait Jules ? Elle l'avait pourtant bien averti : « N'essaie pas de jouer au plus fin avec lui ! Tu vas y perdre au change ! »

— Trois questions ! répéta Bélénos, enjoué. Mais pose-les, je t'en prie !
— Ma première relève de la simple curiosité : est-ce que c'est difficile de vivre dans une si PETITE LAMPE ?
— Hum… Seulement lorsque je mange trop de FÈVES

AU LARD, laissa tomber le génie.

— HAHAHAHAHA ! D'accord… Passons aux choses sérieuses, maintenant. As-tu **DES RÈGLEMENTS** en ce qui concerne les vœux ? Par exemple : est-ce que c'est possible de souhaiter avoir droit à plus que trois voeux ?

— AH-HA ! BIEN JOUÉ ! C'est une excellente question, qui aurait pu te perdre si tu ne l'avais pas posée ! Là réponse est non. C'est une DÉMARCHE ILLÉGALE qui COURT-CIRCUITE mes pouvoirs envers toi. Si tu faisais cette demande, tu tricherais et je ne pourrais rien t'accorder du tout… Et ta dernière question ?

— Pourquoi n'avons-nous droit qu'à trois vœux ?

— Oh, je pourrais t'en accorder bien plus ! répondit l'autre. Mais, chaque SOUHAIT SUPPLÉMENTAIRE te ferait automatiquement vieillir de dix ans. C'est le prix à payer.

— D'accord… Alors j'ai un défi pour toi !

— Mais qu'est-ce que tu fais, bon sang ! chuchota le vampire, les dents serrées.

— Laisse-moi faire, j'ai UNE IDÉE ! murmura le jeune homme.

Bélénos éclata de rire. Cette visite commençait à être très intéressante. Il allait bien s'amuser.

— Je t'écoute !

Jules prit *quelques secondes* 🕐 pour mettre ses pensées en ordre.

— Voilà, dit-il enfin. Si je trouvais le moyen de te forcer à m'exaucer quatre vœux, sans que tu m'enlèves *dix ans de ma vie...* accepterais-tu de me donner trois vœux supplémentaires, pour UN TOTAL DE SEPT ?

— Hum ! Voilà qui est **INTRIGANT**...

Le génie prit le temps de réfléchir. **LES RÈGLES** étaient claires : Jules n'avait pas le droit d'utiliser un de ses souhaits pour demander à en avoir plus. Alors comment pouvait-il faire pour réussir à en obtenir un quatrième sans exprimer son désir ? C'était LOGIQUEMENT IMPOSSIBLE. Ça ne fonctionnerait pas.

— J'accepte ! s'écria le génie, excité à l'idée de voir le garçon perdre son pari. MAIS ATTENTION : SI JE REMPORTE LE DÉFI, JE T'ENLÈVERAI TOUT CE QUE JE T'AURAI DONNÉ ! C'est compris ?

— Parfaitement ! fit Jules en se frottant les mains. Dans ce cas, voici ma première demande : je souhaite que **le corps** d'Ophélie, ici présente, soit totalement immunisé contre tous **LES POISONS** existant dans l'univers !

Il y eut un silence dans la pièce. **Bélénos** essayait de trouver une faille dans la formulation, afin de contourner le souhait. Impossible de diriger celui-ci vers une autre fille s'appelant Ophélie : le garçon avait précisé laquelle il visait. **Le génie** ne pouvait pas non plus immuniser seulement *une partie du corps,* la requête disait bien que ce dernier devait être « totalement » protégé… De toute évidence, il n'y avait aucune place à l'interprétation. TOUT ÉTAIT TRÈS CLAIR ET PRÉCIS. Bélénos CLAQUA des doigts et la sirène sentit *un frisson* la parcourir.

— C'est fait, annonça le génie. Quel sera ton deuxième vœu ?

— *Je souhaiterais… que ma peau devienne mauve !*

— **QUOI ?!** explosa Ophélie. *Que ta peau devienne mauve ?* Tu es **FOU** ou quoi ?! Je te rappelle que…

— CHUT ! Attends, je sais ce que je fais ! l'interrompit son ami, confiant.

UN POUF ! se fit entendre. La peau du garçon prit aussitôt *une teinte violacée.* Tout le monde se mit à l'observer d'un regard CURIEUX. Cette couleur ne lui allait pas très bien.

— Je suis maintenant prêt pour ton dernier souhait ! ricana **Bélénos.**

Une **TENSION ÉLECTRISANTE** se fit sentir. Tout le monde retenait son souffle. Si Jules faisait fausse route, c'était la fin. On pourrait dire adieu à l'équipement, ADIEU À LA MISSION DE SAUVETAGE, et adieu à la famille de la sirène, ainsi qu'à tous les autres animaux aquatiques.

— Je souhaite… annuler mon deuxième vœu !

Nouveau claquement de doigts. La peau du jeune homme retrouva sa couleur normale. DOUGLAS eut un **HOQUET DE SURPRISE**, constatant que tout était foutu, puisque les deux derniers souhaits venaient d'être gaspillés.

— Espèce de traître ! cria-t-il, furieux.
— Eh bien, voilà ! claironna **Bélénos.** Tes trois souhaits sont exaucés, je te remercie d'être passé me voir ! **HA ! HA ! HA !**

Le génie allait disparaître dans sa lampe, lorsque Jules intervint :

— *Pas si vite, papillon.* Il me reste encore un vœu !

— Pas du tout ! Je regrette !

— **TUT ! TUT ! TUT !** Réfléchis quelques secondes ! Je t'ai d'abord demandé d'immuniser Ophélie…

— Ce que j'ai fait.

— J'ai ensuite voulu avoir la peau mauve.

— Ce que tu as eu ! Et tu m'as finalement demandé de ne plus avoir *la peau mauve* : je t'ai donc redonné ton apparence initiale !

— **FAUX !** Je n'ai jamais fait le souhait de ne plus avoir la peau mauve ! Je t'ai demandé D'ANNULER mon vœu ! C'est très différent !

Bélénos leva l'index, prêt à répliquer, mais FIGEA SUR PLACE, soudainement envahi par le doute.

— Mais… Mais… Je t'ai bel et bien exaucé trois souhaits !

— Oui, mais tu en as annulé un ! Ce qui veut dire qu'il devient nul… « **NUL** » comme dans « **ZÉRO** » ! Et « **ZÉRO** » comme dans : « **ÇA N'EST PAS ARRIVÉ** » ! Ce qui veut dire que, techniquement, il me reste encore un vœu !

— Mais… Mais…

UN SILENCE S'INSTALLA. Plus personne ne savait quoi ajouter.

— **SAC À GLACE !** articula le yéti. Jules a raison !

En annulant son deuxième souhait, c'était comme si celui-ci n'avait jamais existé. Et si le souhait de *la peau mauve* n'avait jamais existé, on pouvait dire que Jules avait encore droit à son deuxième vœu ! *Le génie* croisa les bras, **contrarié.** On entendit un **GROGNEMENT** s'élever dans sa gorge. Les meubles de la pièce se mirent à *trembler.* Puis, il éclata de rire.

— Ha ! Ha ! Ha ! Ha ! Ha ! Eh bien, je me suis bien fait avoir, dis donc ! Ho ! Ho ! Ho ! Ho !… Hi ! Hi ! Hi ! Hi !

Adam et Ophélie se mirent à **RICANER NERVEUSEMENT**
à leur tour, soulagés de la réaction de Bélénos. Ils avaient
eu peur que ce dernier se mette en colère et fasse tomber
LA FOUDRE sur leur tête.

— Alors, on est d'accord ? demanda Jules.

— Absolument, petit malin ! Je t'avoue que je suis
impressionné ! **EN QUATRE CENTS ANS,
C'EST LA PREMIÈRE FOIS QU'UN
HOMME RÉUSSIT À ME DÉJOUER !**

Tu peux donc refaire ton deuxième souhait ! Ha ! Ha ! Ha !
Bien joué ! QUELLE INTELLIGENCE !

— Merci !

Le garçon demanda **deux habits de scaphandrier,**
dont un taillé sur mesure pour **DOUGLAS.** Ce qui lui fut
accordé. Les quatre amis se préparèrent enfin à partir.

— Eh, oh ! Mais attendez ! lança le génie. Et tes TROIS VŒUX
SUPPLÉMENTAIRES ? Tu n'en veux plus ?

— Bien sûr ! répondit Jules. Mais pas tout de suite ! Ça
nous donnera l'occasion de nous revoir ! Allez… Salut !

— Un dernier détail, insista Belénos.

— Quoi donc ?

— Tu n'as jamais précisé combien de temps tu voulais
qu'Ophélie soit immunisée… Mon sort prendra donc fin au
lever du soleil !

🦑 CHAPITRE 6 🦑

La lune ☾ venait tout juste de se lever. Elle BRILLAIT dans la nuit comme une ampoule au plafond. Une petite NEIGE tombait délicatement dans le *ciel étoilé* ★ * ✦, comme des millions de confettis de glace. Les trois amis écoutaient l'eau clapoter doucement sous le pont du port. Des poissons s'étaient échoués sur le rivage : un TABLEAU MACABRE qui rendait la sirène terriblement triste.

— **C'est gigantesque !** constata Douglas. Je ne peux même pas voir l'autre rive ! Peu importe où je regarde, la mer est partout ! Comment allons-nous faire pour trouver ta famille *À TRAVERS LES MILLIERS DE KILOMÈTRES D'OCÉAN* ?

— De la même façon que tu arrives à retrouver ta maison sur la TERRE FERME, répondit la sirène.

— Mais… il n'y a pas de rues, sous l'eau ! Comment vas-tu faire pour te diriger ? Pour savoir par quel chemin passer ?

— Nos points de repère sont différents, c'est tout. Nous nous fions aux coraux, *aux grottes sous-marines,* aux épaves de bateaux…

— Alors euh… interrompit le vampire. Si on résume, nous sommes venus ici pour aller chercher ta famille et l'emmener dans un endroit plus sûr, c'est bien ça ?

— Oui…

— Et où as-tu l'intention de les déménager ?

— Pour le moment, je ne sais pas. Ils s'installeront peut-être dans notre appartement, le temps de trouver un autre **océan** ou **un lac.** Est-ce que ça vous dérangerait ?

— Combien êtes-vous, dans ta famille ?

— Quatre. Mon père, ma mère, ma soeur et moi.

— TU AS UNE SŒUR ?! s'exclama le yéti.

— Oui, pourquoi ?

— Est-ce qu'elle est belle ? s'enquit Adam.

— Oui, très. C'est une sirène unique. Elle gagne tous les concours de **beauté marine...**

— Ouah ! Vraiment ?

— Ouais...

Le regard de leur amie s'assombrit. Plus jeune, Ophélie passait des heures devant LE MIROIR à essayer de ressembler à sa sœur, qui était reconnue jusque dans les **PROFONDEURS MARINES** pour sa beauté. Toutes ses amies l'enviaient. On disait que *Nageline* ♥ (car c'était son nom) possédait tout ce qu'une *sirène* pouvait vouloir. Les poissons parlaient d'elle d'un **océan à l'autre** et LES PIEUVRES faisaient des pieds et des mains pour l'impressionner. Même les requins lui faisaient la cour.

— **ÉCOUTEZ !** dit soudain le **vampire,** sortant Ophélie de ses souvenirs. J'entends quelque chose… Pas vous ?
— Nous n'avons pas TON OUÏE DE VAMPIRE, Adam…
— Ça vient du large. C'est encore loin, mais ça vient vers nous. Nous ferions mieux de nous cacher !

Les deux garçons enfilèrent leur équipement en VITESSE et entrèrent dans l'eau. Ophélie les attendait déjà sous le pont, à l'abri des regards. *Quelques minutes* ◷ plus tard, un bateau accosta la berge, à quelques mètres

des trois amis. **DES PETITES OMBRES** en sortirent, discutant entre elles :

— C'était la dernière **CARGAISON,** les gars ! dit une voix **RAUQUE**.

— Je ne comprends pas, ajouta une autre. Il n'existait que **TRENTE-DEUX TONNEAUX** de *CE POISON* dans le monde entier et le patron a décidé de tous les jeter à l'eau ! Quel gaspillage !

— Il doit avoir ses raisons…

— *ATTENTION ! UN HUMAIN, LÀ-BAS, PRÈS DE LA ROUTE !* avertit une troisième voix.

Les Formes se transformèrent aussitôt, comme par magie, certaines S'ALLONGEANT, d'autres *grossissant.*

— **DES DÉMONS-ROUGES !** chuchota Douglas.

Rapidement, l'équipage termina d'amarrer l'embarcation, puis partit à pied vers **LA VILLE.**
Bientôt, le silence reprit ses droits dans *la nuit noire.* Les trois amis se regardèrent, **estomaqués**.

— *AVEZ-VOUS ENTENDU CE QUE J'AI ENTENDU ?* demanda Adam.

— « Le patron » ? fit la sirène, incrédule. Ça ne peut être nul autre que **Marcus Lajoie** !

— TRENTE-DEUX TONNEAUX DE ⚡ POISON... répéta Douglas.

— Mais c'est une bien petite quantité pour un océan complet ! calcula le vampire.

— À moins que le contact avec l'EAU crée une sorte de RÉACTION CHIMIQUE qui permet au produit de se

multiplier à l'infini, pensa Ophélie. Vous savez, comme pour les plantes.

— **SAC À GLACE !** s'exclama le yéti. Nous n'avons plus *une minute* 🕐 à perdre ! Il faut y aller, et vite !

— Suivez-moi ! ordonna leur amie.

Elle les agrippa par la main et plongea tête première, nageant aussi vite que possible. Douglas et Adam virent défiler un TOUT NOUVEAU MONDE sous leurs yeux. DES ALGUES dansaient doucement dans le courant marin, pendant que des *récifs de corail*[5] éclataient en milliers de couleurs sous les rayons de lune ☾ qui transperçaient l'océan. Des coquillages de toutes les grosseurs dormaient dans   vaseux et partout, le bleu de l'eau régnait en roi et maître. Une seule chose clochait dans ce décor MAJESTUEUX : le rythme des poissons. Normalement, ils auraient dû fureter comme des enfants dans un parc, mais au lieu de cela, ils trottaient paresseusement en rasant le sol. On aurait dit qu'ils étaient HYPNOTISÉS.

---

5. Qu'est-ce qu'un récif de corail ? Non, ce n'est pas la même chose qu'un récit de carreaux. Premièrement, un récif est une énorme roche qui traîne au fond de l'eau. Et quand je dis « une énorme roche », je veux dire : une roche VRAIMENT énorme. Le genre de roche que tout le monde pointe du doigt en disant : « Wow, cette roche-là mange beaucoup trop de McDo ! As-tu vu comme elle est grosse ? » Ensuite, « coraux » est le pluriel de « corail ». Qu'est-ce qu'un corail ? C'est un animal qui ressemble à une plante. Mais une plante faite en os. Bon. Ce n'est peut-être pas la meilleure description au monde, mais j'ai d'autres qualités… Par exemple : je suis capable de réciter l'alphabet à l'envers. C'est super facile : je m'accroche la tête en bas et je dis l'alphabet.

Leur regard semblait éteint. Fatigué. VIDE. Le PRODUIT TOXIQUE les rendait amorphes. Ils n'en avaient plus pour longtemps. Ophélie redoubla d'efforts, ne pouvant pas s'empêcher de penser à sa famille. Est-ce qu'ils étaient encore en vie ? Les trois amis s'enfoncèrent dans les creux. À travers le son des bulles et de leurs respirations, on entendit un grondement s'élever. Une sorte de plainte triste.

— C'est Une baleine ! dit Ophélie. Elle ne va pas bien du tout !

Étant une CRÉATURE MARINE, la sirène pouvait parler et se faire comprendre même au plus profond de l'eau. Adam et Douglas, eux, coincés dans leur **habit de scaphandrier,** devaient se contenter de faire des signes pour communiquer.

— Avec vous accrochés après moi, je ne suis pas capable de nager aussi vite que d'habitude ! fit leur amie, découragée. Nous devons nous dépêcher, mais c'est encore loin !

Elle s'arrêta un instant pour réfléchir. Puis, tout son corps se redressa. Une idée venait de germer dans son esprit. Un BRUIT STRIDENT s'échappa de sa gorge, comme une sorte de cri de ralliement. Par trois fois, elle appela au loin, tout en surveillant l'horizon.

Quelque chose finit enfin par répondre dans la même tonalité.

— Nous allons avoir de LA VISITE.

En effet, quelques secondes plus tard, deux dauphins apparurent près d'eux. Ophélie alla à la rencontre des nouveaux arrivants. Ensemble, ils échangèrent des propos codés, formés de notes AIGUËS et de cliquetis étranges. La sirène revint enfin vers le yéti et le vampire.

— Dorsal et Codal vont nous aider ! annonça-t-elle. Accrochez-vous à leur nageoire et tenez-vous bien ! D'accord ?

Le vampire et le yéti LEVÈRENT le pouce pour signifier qu'ils avaient compris. Grâce aux dauphins, ils filèrent à toute allure durant près de trois heures, sans s'arrêter. Ils passaient au-dessus d'un abysse quand, TOUT À COUP, un mouvement se fit sentir sous eux. Une énorme **masse noire** se cachait dans les replis du précipice, immobile. Il fallut plusieurs secondes à Adam avant de comprendre ce qu'il avait vu du coin de l'œil, mais lorsque l'animal surgit enfin de l'ombre, UN SIGNAL D'ALARME SONNA dans la tête du vampire. En effet, huit énormes bras couverts de VENTOUSES se déployaient doucement

dans la faible lumière, comme une fleur s'ouvrant dans les premières lueurs du soleil. Les tentacules, encore **plus gros** qu'un édifice, s'étiraient sournoisement vers les camarades d'Adam, qui ne se doutaient pas qu'une **PIEUVRE GÉANTE** s'apprêtait à les transformer en sushi ! Si le vampire ne réussissait pas à avertir le reste de son groupe, ils finiraient tous dans le ventre du KRAKEN !

— Ophé ! cria-t-il, dans son casque.

Mais ni son amie ni aucun de leurs compagnons ne l'entendirent.

— OPHÉLIE ! essaya-t-il à nouveau.

SANS SUCCÈS. La sirène regardait droit devant elle, concentrée à trouver son chemin dans L'IMMENSITÉ DE L'OCÉAN. Même chose du côté de Douglas et des dauphins : ils ignoraient tout du DRAME qui se tramait directement sous leurs pieds. Adam sentit LA PANIQUE

monter en lui. Cette bête **COLOSSALE** allait bientôt être sur eux. S'il ne faisait rien, elle allait tous les dévorer !

J'AI BESOIN D'UNE IDÉE, BON SANG DE BON SANG !

Puis, il comprit que sa seule option était de volontairement se laisser tomber vers une **mort** ☠ certaine. Avec un peu de chance, le dauphin réaliserait que son passager manquait à l'appel et se retournerait pour voir ce qui se passait. Le **vampire** prit une GRANDE INSPIRATION, afin de se donner du courage, ferma les yeux et cessa de se cramponner. Il ne survivrait peut-être pas, mais si son sacrifice pouvait sauver les autres, alors tant mieux. Le courant l'emporta aussitôt vers le fond. En bas, le **KRAKEN** semblait se réjouir d'une proie aussi facile et orienta ⟋ ses terribles tentacules ⟍ vers ce repas béni TOMBANT DU CIEL. Comme l'avait prévu Adam, Dorsal fit volte-face pour récupérer son passager, croyant que celui-ci avait simplement manqué de force pour se tenir. Mais, découvrant l'horreur qui se jouait au bord de l'abysse, il poussa UN PUISSANT CRI, alertant ainsi

enfin les autres. Tout le monde s'arrêta pour voir ce qui se passait.

— OH NON ! cria Douglas, affolé.

Mais il était déjà trop tard : **LA BÊTE MONSTRUEUSE** se saisissait d'Adam et l'attirait vers elle d'un *geste assuré.* On pouvait lire un sentiment de victoire dans ses **YEUX GLOBULEUX.**

— Aaaaarrrrggggh ! fit le **vampire,** la peur au ventre.

Sans prendre le temps de réfléchir, Ophélie piqua du nez et fonça tout droit vers son ami en détresse. Elle lui attrapa *les mains* et tenta de le tirer de sa fâcheuse position, ce qui ne fonctionna pas. L'emprise de la PIEUVRE était **BEAUCOUP TROP SOLIDE.** Impossible de sortir Adam de là.

C'est alors qu'une idée germa dans la tête de la sirène.

Lâchant prise, elle se rapprocha de la tête du gigantesque animal et tourbillonna devant lui pour créer une diversion. Voyant son manège, **DORSAL** décida de l'imiter et bientôt, **CODAL** abandonna le yéti en sécurité un peu plus loin et les rejoignit à son tour.

Ensemble, les trois nageurs VIREVOLTÈRENT dans tous les sens devant la créature phénoménale, qui tentait tant bien que mal de les attraper tour à tour.

Puis, ce qui devait arriver arriva : DEUX TENTACULES s'entremêlèrent jusqu'à former un noeud. Bientôt, le manège se répéta. Quelques minutes plus tard, la pieuvre commença à s'énerver, coincée qu'elle était dans ses propres pattes.

LE TENTACULE qui retenait Adam prisonnier se relâcha alors de quelques centimètres. Profitant de ce moment de distraction inespéré, le vampire se tortilla comme un ver et, contre toute attente, il réussit à se libérer !

Mais LE KRAKEN n'avait pas l'intention de laisser un morceau de viande aussi alléchant se tirer d'affaire. Il libéra aussitôt un jet d'encre noire, qui se dispersa partout dans l'eau comme un gros nuage de tempête. Il fallait réagir immédiatement, car dans quelques secondes, ils seraient tous aveuglés et plus rien ne pourrait les secourir.

Ophélie envoya UN SIGNAL DE DÉPART et s'éloigna rapidement. D'un coup de queue agile, DORSAL fonça droit devant, plaça son bec sous les pieds du vampire et PROPULSA ce dernier aussi loin que possible de cet endroit maudit.

Une fois hors de danger, ils s'arrêtèrent pour souffler un peu. Le cœur d'Adam ♥ battait UN TEMPO ENDIABLÉ.

Il avait réussi ! Grâce à lui, personne n'était mort, et avec l'aide des autres, lui aussi s'en était sorti ! Il se tourna vers ses amis, HEUREUX, le sourire aux lèvres, prêt à crier de joie. C'est alors qu'il remarqua que quelque chose n'allait pas. Personne ne semblait partager son excitation. Qu'est-ce que…

Il compta :

— Ophélie… Doug… Dorsal…
Mais où était CODAL ?

La sirène émit une sorte de long sifflement soutenu, semblable à celui qui avait servi à contacter les deux dauphins un peu plus tôt. Aucune réponse ne vint.

C'EST MA FAUTE ! TOUT EST MA FAUTE ! pensa le vampire.

LE NUAGE se refermait autour de la pieuvre. Une énorme boule de liquide foncé flottait au-dessus de l'abysse, s'étalant au loin. On aurait dit qu'une EXPLOSION venait de tout détruire, ne laissant qu'un

écran opaque de fumée en forme de champignon.

Le *dauphin* tenta un ultime appel dans l'espoir d'entendre son frère et d'ainsi pouvoir LE LOCALISER, mais il n'y eut aucune réponse. Ophélie, Adam, Douglas et Dorsal observèrent la scène, pétrifiés.

Un silence lourd les enveloppa, accompagné d'un insupportable sentiment de désespoir. De *longues minutes* 🕐🕑🕒 passèrent sans qu'aucun d'eux ne soit capable du moindre geste. Mais il fallait se rendre à l'évidence : le devoir les appelait. On ne pouvait pas se permettre de traîner, sinon d'autres mourraient dans **cet océan** sans pitié. Un à un, ils tournèrent le dos au malheur et reprirent la route à *contrecœur,* l'âme déchirée par le chagrin.

— HWIIIIIIIIIIIII *!* entendit-on soudain en sourdine.

Dans un même → *mouvement* →, tout le monde fit **VOLTE-FACE**, le regard rempli d'espoir.

— HWIIIIIIIIIIIII *!* fit le son à nouveau.

C'est alors que se produisit l'inespéré : un *grand dauphin* gris émergea de l'abysse, nageant de toutes ses forces. Dans son visage, on lisait une détermination sauvage : hors de question de disparaître à tout jamais ! Cet idiot de KRAKEN n'aurait pas le dernier mot[6] !

— GODAL ! s'écria Ophélie, remplie DE BONHEUR.

Ils s'élancèrent tous vers le rescapé et l'entourèrent pour célébrer son retour, chacun y allant d'un signe d'affection : flattouilles, coups de bec, petites tapes sur la tête... Il s'en était fallu de peu. Heureusement, ils étaient tous sains et saufs.
La partie n'était pas terminée. Le soleil se levait dans moins de cinq heures. Et à partir de ce moment, Ophélie ne serait plus PROTÉGÉE contre le poison...

---

6. Évidemment qu'il n'aurait pas le dernier mot : il ne savait même pas parler !

⚡ CHAPITRE 7 ⚡

Une heure s'était écoulée depuis l'attaque du **KRAKEN.**
Une heure durant laquelle les cinq compagnons avaient
avancé sans se retourner, restant tout de même à l'affût
d'éventuelles menaces. Mais plus ils approchaient du
but, moins LES DANGERS semblaient importants. Les

piranhas brillaient par leur absence ; les raies, inertes, ressemblaient à **DES TAPIS DE SOL** ; les requins erraient sans même remarquer la présence des autres poissons. **DORSAL** et **CODAL** aussi commençaient à perdre de leur énergie. Tirer Adam et Douglas leur demandait maintenant **Un effort incroyable**, les empêchant d'aller vite.

Lorsqu'ils arrivèrent enfin à destination, c'est un village désolé qu'ils trouvèrent. Douglas, trop secoué par l'**ambiance** funeste des lieux, ne s'étonna même pas d'y trouver des *maisons marines* tout à fait semblables à celles qu'on voyait à la surface. Ophélie n'arrivait pas à y croire : là où s'agitait la vie, quelques mois auparavant, il n'y avait plus que 🕸**DES FANTÔMES** 🕷. Les habitants paraissaient éteints. Leur regard s'accrochait au vide, à travers des paupières à moitié closes. Ils se déplaçaient dans *UNE LENTEUR EXASPÉRANTE,* comme si tout le poids du monde pesait sur leurs épaules[7].

Ophélie ouvrit la porte d'une petite demeure en **pierres colorées.**

---

7 .Cessez immédiatement de m'achaler avec ça : JE SAIS que les poissons n'ont pas d'épaules… Sauf que je ne pouvais pas écrire que le poids du monde reposait « sur leur rayon de nageoire mou » : ça aurait eu l'air fou.

— Allô ? Il y a quelqu'un ?

Ils entrèrent. La *sirène* ☞ se dirigea vers le salon, ses amis derrière elle.

— MAMAN ! PAPA !

— Bonjour, ma grande, laissa tomber sa mère.

Elle qui n'avait pas vu sa fille depuis des lustres ne paraissait même pas étonnée ou contente de sa visite.

— Où est *Nageline* ?
— Ta sœur ? Elle est…
— Juste ici, lança une voix dans leur dos. Salut, Ophé.

Adam et Douglas se retournèrent, impatients de voir enfin à quoi ressemblait la sœur de leur amie. La vision qui s'imposa à eux les laissa **SANS VOIX.** *Nageline* n'avait **RIEN À VOIR** avec ce qu'ils s'étaient imaginé. Ophélie

l'avait décrite comme une sirène unique :
il n'y avait rien de plus vrai ! En fait, *Nageline* était
l'**EXACT OPPOSÉ** d'une sirène normale, c'est-à-dire
qu'elle avait ***des jambes d'humain*** et une **tête de
poisson** ! Le **vampire** dut se retenir de toutes ses forces
pour ne pas éclater de rire. Surtout lorsqu'il vit l'expression
du yéti, dont la mâchoire pendait *lamentablement* sous
l'effet de la **SURPRISE**. C'est Ophélie qui le sortit de sa
torpeur.

— Vous ne pouvez pas rester ici ! lança-t-elle. Tout le
monde est en train de mourir. Il faut absolument partir !
— C'est trop tard, ma coquille, laissa tomber son père.
Nous n'avons même plus la force de nous nourrir…
— Depuis que ce bateau a coulé, toute notre énergie
est mystérieusement disparue, ajouta sa mère.
— Quel bateau ?

Il se passa un temps avant que la réponse n'arrive. Adam
et Douglas attendaient **DÉSESPÉRÉMENT** la suite.

— Celui… près de la crique aux remous… Ouf ! Tu m'excuseras, je dois me reposer un peu…

Sur ces *paroles* ⌣, la mère de leur amie ferma les yeux et s'endormit aussitôt. Ophélie fronça les sourcils.

— La crique aux remous ! articula-t-elle, déterminée. Les gars, nous partons !

Attrapant une main de chacun de ses deux compagnons,
elle sortit de la maison et nagea sans s'arrêter durant
plusieurs kilomètres. À mesure qu'ils avançaient grandissait
l'ombre d'une étrange nuée verte se
répandant dans l'eau. Il fallut un peu *plus d'une heure* 🕐
encore pour arriver enfin à l'endroit en question. Là,
ils trouvèrent effectivement un **bateau IMMENSE**
défoncé de part en part.

— Regardez ! lança Ophélie.

Les ~~pirates~~ de toutes les époques avaient l'habitude
de baptiser leur embarcation. Sur la **COQUE** de celle-ci
se trouvait un nom qui n'étonna personne : ***Le Marcus.***

— Je le savais ! Espèce d'idiot ! grogna la sirène, très
fâchée.

La **BRUME VERDÂTRE** faisait partie intégrante
du **DÉCOR,** maintenant. Des carcasses de crabes

remontaient doucement vers la surface lointaine. Adam avança vers le bateau, puis passa la tête à travers un hublot. Ce qu'il vit lui GLAÇA LE SANG : des dizaines et des dizaines de barils se trouvaient là, renversés pêle-mêle sur le plancher. De ces derniers s'écoulait un LIQUIDE GÉLATINEUX de couleur verte. Le yéti comprit alors que l'eau de la mer transformait ce GEL en nuée qui, à son tour, se propageait dans l'océan. Jusqu'à maintenant, le produit affectait surtout ceux qui vivaient à proximité, mais avant longtemps, c'est toute la faune marine qui serait CONTAMINÉE ✓, et ce, d'un continent à l'autre. Il n'y avait plus de temps à perdre. Détruire la cargaison devenait la mission la plus importante à accomplir.

— Doudou, qu'est-ce que tu fais, pour l'amour du ciel ? s'exclama Ophélie.

Le yéti venait de sortir UN ROULEAU DE RUBAN 🔖 de ses poches et s'apprêtait visiblement à établir un périmètre de sécurité autour du bateau.

— Veux-tu bien me ranger ça **IMMÉDIATEMENT** ! ordonna la *sirène,* le regard sévère.

Son ami HAUSSA les épaules, soupira et obéit, à regret. Si on ne pouvait plus ÊTRE PROFESSIONNEL... À quoi bon les nommer enquêteurs dans ce cas ?

— Il faut absolument trouver le moyen de détruire cette invention DU DIABLE ! pesta Ophélie.

Elle nageait de gauche à droite, concentrée, la tête penchée vers le sol. Adam jeta un coup d'oeil à sa montre : plus que deux heures avant le matin.

— J'ai UNE IDÉE ! annonça-t-il.

Mais, bien sûr, personne ne l'entendit à cause de son casque. Il fit donc SIGNE à Douglas de le suivre et pénétra dans la coque brisée. Pointant UN BARIL, le vampire signifia à son ami qu'il devait le transporter jusqu'à l'extérieur. Le yéti, sans faire le moindre effort, souleva un **DES TONNEAUX** et le sortit du bateau.

Adam s'agenouilla ensuite par terre et tenta de CREUSER, ce qui s'avéra excessivement DIFFICILE. Même Doug n'y arrivait pas, malgré la puissance de ses bras. Dès qu'il déplaçait une quantité de sable, tout le CONTOUR DU TROU se mettait à FONDRE et à Glisser, remplissant l'espace vide en quelques secondes.

— **ARGH** ! s'impatienta Ophélie. Nous ne sommes pas assez **gros** !

Le yéti s'agita soudain. Il attrapa une branche et par terre, il traça : « ALFRED ! »

— Mais bien sûr ! s'excita son amie. Alfred le monstre marin ! Lui pourrait nous donner un coup de main ✋ !

Utilisant le **CODE DE NOTES** et de CLIQUETIS TYPIQUES aux créatures de l'océan, la sirène lança un appel à l'aide destiné à Alfred. Au bout d'une quinzaine de minutes de communication à sens unique, un grondement sourd lui répondit. Immédiatement après, une énorme tache *se dessina* à L'HORIZON. De toute évidence, cette tache avançait vers eux, parce qu'elle grossissait à vue d'œil.

— Bonjour, les copains ! les salua LE MONSTRE MARIN, en arrivant enfin près d'eux.

Ophélie lui expliqua la situation et, tout de suite, Alfred se mit à la tâche. En moins de temps qu'il n'en faut pour crier « ✂ CISEAUX », il fit un **GROS TROU** dans le sol[8]. On y laissa tomber le baril et Alfred l'enterra complètement. Ne restait plus qu'à savoir si LE POISON arriverait à sortir malgré tout. Les quatre amis attendirent longtemps sans bouger, scrutant le MONTICULE de sable sous lequel se trouvait le récipient. Ils allaient crier victoire lorsqu'une **bulle** perfora le sol, laissant échapper une POCHE DE GAZ toxique. L'échec de la méthode tomba comme une roche au fond de leur estomac. Plus qu'une heure et quelques poussières avant le lever du soleil. Il fallait trouver UNE IDÉE 💡 et rapidement.

---

8. La seule bonne raison qu'une personne aurait de crier 'ciseaux' serait pour dire: 'je ne crie jamais ciseaux!!!', ce qui serait franchement ridicule.

— Il faut tout faire BRÛLER ! s'écria la sirène.

Douglas attrapa une BRANCHE et, par terre, il traça :
« Brûler… Dans l'eau ? ! »

— Je sais… Je sais…

NOUVEAU SILENCE. Chacun essayait désespérément de trouver une solution. Pendant ce temps, des centaines de poissons continuaient de **mourir** ☠. Ophélie pensa à sa famille et sentit les larmes lui monter aux yeux. Mais puisque les larmes ont cette fâcheuse tendance à disparaître dans l'eau, personne ne remarqua son désarroi. C'est à ce moment qu'**Alfred** lança :

— Attendez-moi… Je reviens !

Sans plus d'explications, il partit. Ils attendirent, puis attendirent, et attendirent encore. Le MONSTRE MARIN tardait réellement à revenir.

— MAIS QU'EST-CE QU'IL FAIT ? s'énerva le yéti.

Un long moment passa. LA GELÉE VERTE continuait de s'écouler des **BARILS**, la brume toxique, de s'étendre. À la surface de l'eau, une lueur matinale commençait à poindre. Les trois amis perdaient graduellement espoir. *Le cœur gros* ♥ , ils prenaient conscience de l'échec de leur démarche. Tant d'efforts pour absolument rien ! Ils n'avaient pas retrouvé **Marcus Lajoie,** ni sauvé les animaux marins, et de toute évidence, ils n'arriveraient pas non plus à se sortir indemnes de cette aventure risquée. La vie semblait bien injuste, tout à coup.

Ophélie sentit *un frisson* la traverser, signe que le sort venait de prendre fin. Un engourdissement s'empara de sa tête, comme si une **fatigue intense** la frappait de plein fouet.

— Je me trouve directement dans **LA ZONE DE CONTAMINATION,** pensa-t-elle. *LE POISON* agit donc plus rapidement sur mon SYSTÈME.

Le temps continua de filer, insensible au drame qu'il provoquait. Douglas reprit la branche et écrivit : « RENTRER MAISON » sur le sol.

— Je ne peux pas, fit la sirène. Je n'y arriverai pas.
PARTEZ, VOUS. Et retrouvez cet idiot de *Marcus Lajoie.*
Ne le laissez… Ne le laissez surtout pas se tirer d'affaire…
Adam refusait de laisser son amie à son triste sort. Il
lui empoigna la main, prêt à la porter dans ses bras s'il
le fallait. Tant pis s'ils mettaient une semaine entière
à ressortir de cet océan MAUDIT : hors de question
qu'Ophélie y laisse sa peau.
Cette dernière se dégagea doucement.

— Vous allez… MANQUER D'AIR et mourir de faim avant de…
regagner la rive, si vous vous acharnez à m'emmener, dit-
elle. C'est inutile. Allez-vous-en.

Le yéti éclata en sanglots, incapable de se retenir.
Son ami ne put s'empêcher de l'imiter. Cette séparation
était déchirante. Ils savaient ce qui attendait
la sirène. Déjà, sa peau pâlissait et quelques écailles
tombaient. Ses paupières étaient **LOURDES.** Le
sommeil cherchait à s'emparer d'elle. Le décor tanguait
dans ses yeux rougis. La fin approchait.

Puis, contre toute attente, un GRAND *remous* agita
la mer au-dessus de leur tête. Là-haut, très loin, on vit
un corps **GIGANTESQUE** entrer dans l'eau.
Aussi vite qu'une flèche, **Alfred** transperça l'océan et vint
rejoindre les trois **INTROUVABLES** tout au
fond.

— Attention, ça va barder ! s'écria-t-il, pressé. Flamèche *le dragon* est là, dehors, et se prépare à pulvériser cette carcasse de l'enfer !

Doug sentit **UN REGAIN D'ENERGIE** monter en lui. Mais ils avaient encore un problème : Ophélie s'était évanouie. Elle flottait sur le dos, inerte. Le monstre marin ouvrit *la bouche* 👄 et l'attrapa délicatement entre ses dents, prenant soin de ne pas *la blesser*. Se tournant vers les deux autres, il les pressa :

— HITE ! HÉHÊCHEZ-HOUS !

Il n'en fallut pas plus à Adam et à Doug pour obéir et s'accrocher à Alfred. Celui-ci remonta à la surface. Le dragon battait des ailes afin de se maintenir au-dessus de la mer. En voyant émerger les quatre **INTROUVABLES**, il inspira profondément et expulsa un puissant crachat de flammes dans l'océan.

L'eau se sépara en deux sous la force de l'impact. Le JET BRÛLANT était si intense et si soutenu qu'il transperçait les vagues, tel un ~~~~~~~~~~~~~~~~~ L'eau se mit à ~~~~~~~~~~~~~ et à s'entrouvrir jusqu'au plancher océanique, à des centaines de mètres plus bas, où reposait le bateau échoué. Celui-ci, réchauffé par le souffle torride de Flamèche, prit feu et explosa en mille morceaux dans UN FRACAS DU TONNERRE, éclaboussant partout autour et relâchant un grand nuage de GELÉE VERTE CARBONISÉE.

Puis, l'eau reprit ses droits et tout redevint calme. Comme ~~~~~~~~~~~ qui tombe d'un arbre, le poison déjà présent dans la mer devint aussitôt inactif, puisqu'il était coupé de ses racines.

Douglas retira son casque d'un geste brusque.

— NOUS AVONS RÉUSSI ! hurla-t-il. NOUS AVONS RÉUSSIIIII ! HOURRA !

Adam et lui tombèrent dans les bras l'un de l'autre, riant et pleurant à la fois, heureux de l'avoir échappé belle.

Flamèche GROGNA. Son devoir terminé, il repartit d'un coup d'ailes, sans dire au revoir. Les dragons n'étaient pas reconnus pour leurs bonnes manières.

CHAPITRE 8

— Qu'est-ce que… articula Ophélie, confuse, en **OUVRANT** les yeux.

Bilby, debout sur sa poitrine, lui léchait le visage à grandes lampées enjouées. La **petite boule** de poils avait veillé sur *sa maîtresse* jour et nuit, depuis le retour de celle-ci.

— Tu ne te souviens de **M**
non loin, **UN** **POT** **D**
PORC dans les mains.

Il lui expliqua comment le monstre
Il lui raconta également, bien sûr, l'e
et le SPECTACLE PHÉNOMÉNAL
L'EXPLOSION du bateau et de sa carg

— Mais… Mais… Comment est-on revenus a
l'appartement ? Nous étions pratiquement au ce
l'océan, vous n'avez pas pu nager jusqu'à la terre
traînant sur vos épaules !
— C'est **Alfred** qui nous a embarqués ! précisa Adam.
— Et mes parents… *Ma famille* ?
— Sauvés ! fit le yéti. Le poison a commencé à se diluer
dans l'eau après la destruction **DES** **TONNEAUX**
Toute la faune marine a graduellement récupéré ses forces
par la suite… Je ne voudrais pas être celui qui tombe face
face avec un requin aujourd'hui, moi !

LANGUES DE

…ien ? demanda Douglas, assis

…marin les avait sauvés.

…xploit de *Flamèche*

…causé par

…aison mortelle.

…ntre de

en me

— Ni avec LE KRAKEN ! renchérit le vampire en frissonnant devant ce souvenir désagréable. Même empoisonné, il était fort comme un ouragan… Imaginez-le en pleine possession de ses moyens !

— Mais… Et Marcus Lajoie ? demanda encore la

LA PORTE d'entrée s'ouvrit.

— Toujours pas de NOUVELLES de lui, déclara Jules depuis le portique. Désolé…

Il approcha, un BOUQUET DE FLEURS à la main. Avec un sourire gentil, il dit :

— Pour toi, Ophé. Heureux que tu t'en sois tirée.

La jeune fille ROUGIT légèrement. Par

Adam ne le mentionna pas. Après tout, elle venait tout juste de reprendre connaissance… Il pouvait bien attendre un peu avant de la taquiner.

Au final, cet épisode de leur vie se révélait UNE RÉUSSITE. Ils avaient bien pensé que le sort en déciderait autrement, mais grâce à un coup de main du DESTIN (et de quelques amis !) ils s'en sortaient tous sains et saufs. Ou presque. Car il y avait malheureusement eu **DES VICTIMES** dans cette histoire. Et même si une odeur de célébration ★PARFUMAIT★ cette journée heureuse, le plus gros restait encore à faire. Parce qu'avec *Marcus Lajoie* en liberté, ils savaient très bien que la paix ne régnerait jamais…

FIN.

Jusqu'à la prochaine aventure !

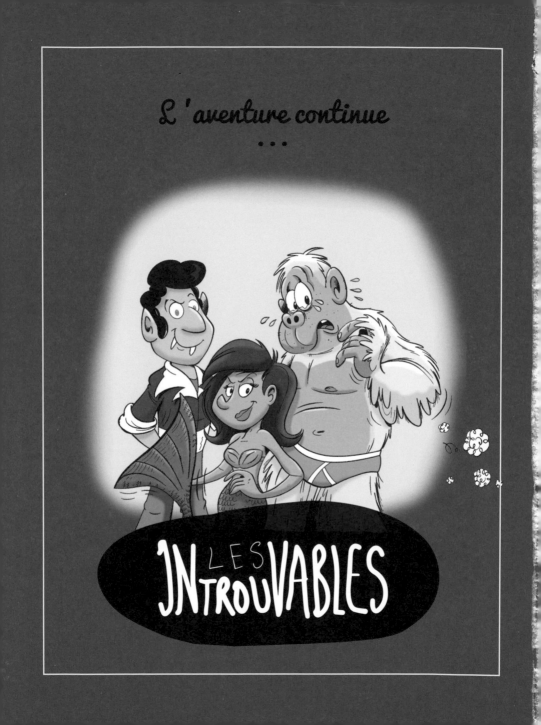